nuevas ideas

PINTADO
SOBRE SEDA

Las ideas para la creación
de este libro han sido aportadas por

Ursula Dübel

ediciones
ceac   Perú, 164 - 08020 Barcelona - España

Traducción autorizada de la obra:
SEIDE BEMALEN

Editado en lengua alemana por
Otto Maier Verlag

© 1987 OTTO MAIER VERLAG

ISBN 3-473-45650-0

© EDICIONES CEAC, S. A. - 1988
Perú, 164 - 08020 Barcelona (España)

Primera edición: Septiembre 1988

ISBN 84-329-8418-3

Depósito Legal: B-29367 - 1988

Impreso por
GERSA, Industria Gráfica
Tambor del Bruc, 6
08970 Sant Joan Despí (Barcelona)

Printed in Spain
Impreso en España

Contenido

Introducción

Cualquiera puede pintar sobre seda

Quien alguna vez se ha ocupado de la pintura sobre seda, ya no puede dejarla.

Esta técnica, tan similar a la acuarela, permite tras un breve tiempo de aprendizaje y entrenamiento, la creación personal de diseños textiles en color.

Aunque mis primeros ensayos no siempre se vieron coronados por el éxito, el placer de jugar con los colores sobre la maravillosa tela de seda natural me hizo continuar, de ensayo en ensayo, de cuadro en cuadro.

Hoy, al ponerme a describir en este libro los conocimientos fundamentales acerca de técnicas de trabajo, materiales y herramientas, puedo recurrir a una experiencia de muchos años. Me he esforzado en dar instrucciones claras y sencillas; las mismas instrucciones que yo aplico al trabajar todos los días.

Con este libro como consejero no les debería ser difícil iniciarse en las técnicas de la pintura sobre seda. Pero seguro que también el experimentado encontrará en este libro algunas ideas que le estimulen a las nuevas actividades.

Le deseo mucha alegría y mucho éxito al pintar en seda.

Ursula Dübel

La pintura en seda en el pasado

En el pasado, la pintura sobre seda era una técnica muy desarrollada

Los tejidos de seda existen en China para confección y decoración desde hace aproximadamente cinco mil años.

Durante milenios, el arte de la sericicultura ha sido un secreto celosamente guardado por los chinos. No fue sino hasta el año 552 d.C. cuando algunos monjes lograron llevar de contrabando huevos de gusanos de seda a Bizancio en bastones de viaje huecos. A partir de entonces se inició en Europa una industria propia de la seda. Sin embargo, los tejidos de seda se conocían en Occidente ya desde antes, y en la antigua Roma, en el año 100 a.C., la seda costaba literalmente su peso en oro, por lo que sólo los muy ricos podían permitirse este ligero, brillante y semitransparente tejido.

Los dos principales productores y exportadores de seda son China y Japón, y actualmente el precio de la seda es accesible.

La seda se obtiene de los capullos del gusano de seda (Bombyx mori), que se cría especialmente para ello. Los capullos se devanan y con el hilo obtenido se teje la seda. El hilo medio del capullo, de unos 900 m de largo, constituye lo más valioso.

En China, los sencillos pero costosos tejidos de seda se decoraban con signos de escritura e imágenes, costumbre que dio origen a la pintura sobre seda, que no alcanzó su auge sino con la dinastía Sung, en el norte de China, hacia el año 1200 d.C.

Los componentes básicos que empleaban los chinos para preparar sus colores eran el polen; la ceniza y el hollín; algunos extractos de raíces, cortezas u hojas, y algunos pigmentos minerales de óxidos de hierro y cobre, tales como el cinabrio y el ocre.

Con el fin de lograr una buena impregnación de la seda con el color, los chinos desgomaban la seda mediante baños de mordiente a base de álcalis. Para la reserva de los fondos, empleaban una pasta preparada a partir de cola de arroz y salvado cocido, que aplicaban sobre la seda, sea directamente, sea mediante plantillas. Frecuentemente combinaban la pintura y la impresión en seda y, partiendo de tejidos de seda de diferentes grosores, preparaban biombos, tapices, pinturas y vestidos.

La admiración que despertaba el arte de los chinos para la pintura sobre seda dio lugar a que en Europa se imitaran y copiaran los motivos chinos, motivos que, tanto si eran geométricos como figurativos, solían encerrar un determinado simbolismo y que determinaron una parte de la vida cultural de China con sus formas intensamente expresivas. Los motivos principales los constituían los animales, las plantas y algunos seres fabulosos. Las composiciones chinas tradicionales son las conocidas como "cobre – bambú – flores de ciruelo" y el "motivo de la grulla y la tortuga".

Figura 1.
Pintura en seda japonesa;
Kischi, llamado Chicado.
Final del siglo XIX.
Propiedad privada.

La pintura sobre seda en la actualidad

La pintura sobre seda practicada hoy día se basa en la experiencia de los antiguos maestros y, gracias a nuevos efectos, se ha desarrollado hasta constituir una moderna técnica de pintura

Para la pintura sobre seda, hoy en día se siguen empleando los mismos útiles de trabajo que empleaban los chinos: pinceles, colores y medio de reserva. No obstante, los colores naturales se han sustituido completamente por colores sintéticos, que son más fáciles de manejar, pueden mezclarse entre sí, pueden diluirse, oscurecerse o aclararse y se caracterizan por una elevada solidez a la luz.

Un importante aspecto es la fijación de los colores tras la pintura. El fijado liga firmemente las minúsculas partículas de pigmento a las fibras de la seda, logrando la típica luminosidad cromática.

Tras el fijado, los tejidos de seda pintados pueden limpiarse o lavarse a bajas temperaturas con un detergente para textiles delicados y agua abundante.

En relación con la pintura sobre seda, cada vez se emplean más algunos aditivos nuevos, tales como sal, vinagre, clara de huevo, azúcar o leche, que logran algunos efectos encantadores adicionales. Nos ocuparemos de ellos más adelante.

Gracias a la gran variedad de tipos de seda, la oferta de tejidos es muy amplia para las más diversas aplicaciones: pañuelos, foulards, tulipas, cuadros, corbatas, vestidos, blusas o incluso cortinas; todo esto lo puede hacer uno mismo con ayuda de colores.

Tipos de seda más importantes

La selección de la seda es el primer paso y reviste una gran importancia, pues de una correcta elección depende el resultado del trabajo

Existe toda una serie de tipos de seda, muy diferentes en su estructura.

Una seda fina es tan poco adecuada para un tapiz, como una pesada para un vaporoso foulard.

He aquí una breve descripción de los tipos de seda más importantes:

Seda Pongée

La seda pongée de los números 5 a 9 es la más usual; es adecuada para foulards, pañuelos, cuadros pequeños, cojines y blusas. La seda número 5 es la más ligera, la número 9 es la más fuerte. El efecto de sal en estos tipos es muy bueno.

Sedas pongée números 10 a 14: estos tipos más fuertes son apropiados para tapices murales, cuadros, tulipas, cojines, vestidos y corbatas. El efecto de sal es bueno.

Crêpe de China

Adecuado para todo lo que sea fino y elegante. Ideal para la preparación de blusas, vestidos y pañuelos. Vaporosa y resistente a las arrugas.

El efecto de sal es muy bueno.

Chiffon

Tejido muy vaporoso, suave y transparente. Puede emplearse para pañuelos y vestidos. Efecto de sal sólo moderado.

Georgette

Tejido rizado, más pesado y denso que el chiffon. Apropiado para blusas, vestidos y pañuelos. Buen efecto de sal.

Twill

Tejido de seda suave y flexible que se adapta muy bien al cuerpo. Apropiado para corbatas y pañuelos. Buen efecto de sal.

Toile

Tejido de seda resistente. Apropiado para cojines, manteles, faldas y vestidos. Efecto de sal moderado o malo.

Seda de Honan

Tejido resistente, apropiado para cojines, tulipas y prendas de vestir. No apropiado para el efecto de sal.

Doupion indio

Tejido resistente, apropiado tanto para un caftán como para cojines, cortinas y tulipas. Efecto de sal sólo moderado.

Bourrette de China y bourrette de Corea

Tejidos pesados de seda hilada. Apropiados para tulipas, corbatas y tejidos para vestidos. Absorben muchísimo color y por lo tanto no es posible el efecto de sal.

Empiece con tejidos baratos con los que pueda experimentar sin que le "duela en el bolsillo"

El principiante se debería conformar con seda Pongée, ya que esta seda es la más fácil de pintar, además de ser relativamente barata. El ancho de la pieza de seda oscila entre 80 y 140 cm. Recuerde que algunas calidades encogen de largo de un 5 a un 10 % al lavarse. La figura 2 (página 12) muestra los diferentes aspectos que ofrecen los diferentes tipos de seda al "ir extinguiéndose" los colores (degradado de color): arriba a la izquierda, pongée; arriba a la derecha, chiffon; centro a la izquierda, bourrette de Corea; centro a la derecha, seda silvestre; abajo a la izquierda, crêpe de China; abajo a la derecha, seda de Honan.

El lugar de trabajo

Figura 2.
Pongée (arriba a la izquierda).
Chiffon (arriba a la derecha).
Bourette de China (centro a la izquierda).
Seda silvestre (centro a la derecha).
Crêpe de China (abajo a la izquierda).
Honan (abajo a la derecha).

El lugar de trabajo ideal es una habitación propia en la que se puedan dejar por medio trabajos empezados y a medio terminar. Sin embargo, para empezar sirve también un rincón de trabajo de aproximadamente uno a dos metros. Si la luz de día no es suficiente o si quiere trabajar también por la tarde, necesita una iluminación que, a ser posible, debería ser sin reflejos. Son muy apropiadas una o varias lámparas de trabajo articuladas. La luz directa del sol es muy desfavorable, ya que hace que los colores se sequen con demasiada rapidez, si bien esto también es válido para la luz artificial, si la lámpara se acerca excesivamente a la pieza de trabajo.

La mesa de trabajo: La superficie de trabajo debe tener el tamaño de una mesa extensible normal. Coloque un gran papel blanco (un mantel de papel blanco resulta muy económico) sobre la superficie de trabajo y

Con una mesa, una lámpara y una silla se crea el lugar de trabajo para la pintura sobre seda. Este rincón de trabajo permite la pintura de paños de pequeño tamaño.

sujételo en todos los lados con banda adhesiva rizada. Debajo de este papel blanco, coloque papel de periódico viejo, con el fin de que los colores no manchen la mesa. La finalidad del papel blanco es evitar que los colores de pintura empleados parezcan distintos a lo que son en realidad al compararlos frente a un fondo no neutro.

Una silla de escritorio es muy práctica. Disponga sobre el papel blanco, colocándolas "en círculo", las herramientas de uso más habitual. Un par de cajas de herramientas poco profundas (en forma de bandeja) son ideales para guardar el material básico y las mezclas de color y permiten recogerlo todo con pocas maniobras. Los pinceles deben guardarse al revés, puestos de pie en un vaso, y siempre bien lavados. Un segundo vaso, lleno con agua del grifo, sirve para lavar el pincel. Un trapo (eventualmente un pañuelo de papel) sirve para absorber el agua sobrante del pincel antes de pintar.

El tensado de la seda: Antes de pintar la seda hay que tensarla sobre un marco de madera blanda. Ajuste el marco al tamaño del paño de seda. Recubra el borde superior del marco en el que se tensará la seda con cinta adhesiva rizada. Esta cinta adhesiva impide que también se tiña el marco, evitando de este modo que restos de color antiguos puedan manchar una obra nueva. Sujete primero la seda en las cuatro esquinas, de modo que quede tensa y a hilada. Seguidamente, los lados libres se sujetan con agujas que se colocan a distancias de aproxi-

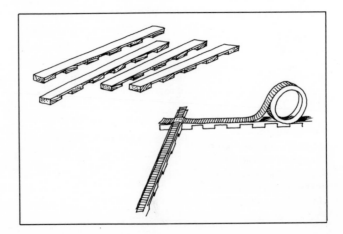

Una vez encajados los listones para formar el bastidor, se recubren con banda adhesiva rizada.

14

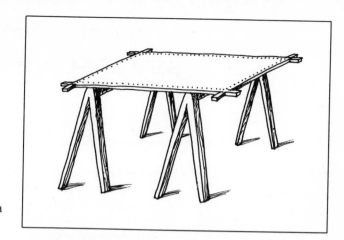

Para las composiciones grandes, el bastidor correspondiente se monta sobre dos caballetes.

madamente 10 cm y de manera que no queden enfrentadas las de un lado y su opuesto, sino levemente desplazadas, con el fin de lograr un reparto homogéneo de la tensión. La seda debe quedar tensada como un parche de tambor. Los trabajos grandes, que sobrepasen los 90 x 90 cm, se colocan encima de dos caballetes de madera, con el fin de poder pintar la seda desde todos los lados.

Pincel: Para sus trabajos necesitará aproximadamente seis pinceles: dos grandes, tres de tamaño medio y uno pequeño. Se puede usar cualquier pincel, pero los ideales son los japoneses. Es importante que el pincel tenga una buena punta. Después del uso lave sus pinceles muy bien con agua, sacúdalos ligeramente y absorba el agua sobrante suavemente con un trapo.

Para pintar uniformemente superficies grandes, es útil un pincel o muñequilla de gomaespuma de aproximadamente 10 cm de anchura. Como sustitutos ocasionales del pincel pueden emplearse bastoncillos y torundas de algodón.

Los pinceles pueden conservarse en un frasco, de manera que no se les estropee el pelo.

Agua: El agua del grifo es suficiente para la limpieza de los pinceles y para diluir los colores. Si fuera muy calcárea, emplee agua destilada o filtrada.

Alcohol: El alcohol industrial (alcohol desnaturalizado) es el vehículo y disolvente ideal para los colores empleados para la pintura en seda.

¿Qué se necesita para pintar sobre seda?

La pintura sobre seda no es tan cara como parece

Al mirar la lista siguiente, comprobará que algunos de los utensilios y medios auxiliares que necesita existen en casi cualquier casa.

Seda: Para sus primeros intentos, elija una seda barata.

Colores: Se comercializan colores para seda de varios fabricantes en envases de tamaño apropiado a las necesidades del aficionado. Todos ellos se caracterizan por su alta resistencia a la luz.

Bastidor: Para los comienzos, un bastidor de un tamaño de 90 - 100 x 45 cm, o incluso de 45 x 45, es suficiente. El bastidor debería ser ajustable. También pueden usarse bastidores de cuña como los empleados para tensar los lienzos para pintura al óleo. Es importante que el bastidor sea de madera blanda con el fin de poder clavar fácilmente los alfileres para el tensado de la seda.

Alfileres de arquitecto: Para tensar la seda, lo mejor son unos alfileres muy finos y puntiagudos, de acero inoxidable y provistos de una gran cabeza de plástico.

Cinta adhesiva: Para proteger tanto el bastidor como la seda de manchas de color incontroladas.

Pincel: Compre aproximadamente seis tamaños distintos y una muñequilla de gomaespuma de aprox. 10 cm de anchura.

Agua: Un vaso con agua para lavar los pinceles.

Alcohol: Alcohol industrial de la droguería o de la tienda de pinturas.

Medio de reserva: Medio de contorno con alto punto de inflamación o guta, que tome los colores empleados para pintura en seda. Resulta muy práctico tenerlo en una botellita de plástico con cánula.

Sal: Diversos tipos de sal molida, sal común, sal dietética, etc., o la sal para efectos en seda que se puede adquirir en comercios especializados.

Frascos: Pequeños frasquitos de boca ancha y provistos de cierre para mezclar y guardar los colores.

Algodón: El algodón y los bastoncillos de algodón constituyen una alternativa a los pinceles para pintar en seda.

Paños: Para el fijado, los paños de lino, que son más suaves que el papel de periódico y se pueden hervir, resultan muy adecuados. Además se necesita:

Rollo de papel de cocina,
Tijeras,
Alfileres,
Lápiz, carboncillo,
Vaso de medida,
Rotulador (vacío) para rellenar con color,
Olla exprés,
Tres cuentagotas (para la mezcla de colores).

La figura de abajo a la izquierda muestra algunas posibilidades para conservar los tintes.

Abajo a la derecha se muestra un bastidor de prueba en el que puede tensarse una pieza de seda para las pruebas.

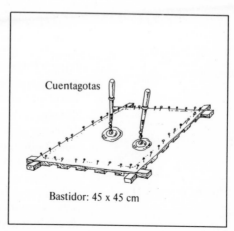

Cuentagotas

Bastidor: 45 x 45 cm

Ensayos previos

Antes de comenzar su obra, debería probar los colores y conocer sus efectos.
Para ello necesita:

un bastidor pequeño (aprox. 30 x 30 cm),
los colores básicos rojo, amarillo, azul,
un trozo de seda, aprox. 35 x 35 cm,
dos cuentagotas para el color,
un cuentagotas para el agua o alcohol.

Prueba de color I

Tense la seda uniformemente sobre el bastidor. Con el cuentagotas, deje caer sobre la seda tres gotas del color que desee y observe cómo se extiende. En el caso de tejidos finos, el color se extiende más rápida e intensamente que en los tejidos gruesos. Espere un poquito hasta que se seque la pintura y seguidamente añada otra gota del mismo o de otro color en el centro de la mancha anterior, ya seca. Observe este proceso y a continuación añada una segunda gota al lado del color seco. Anote el resultado con bolígrafo en el borde inferior de la seda.

Prueba de color II

Aplique tres gotas de color puro (amarillo, rojo y azul) a distancias suficientes sobre la seda y déjelas secar. A continuación, con el segundo cuentagotas añada sobre el punto de color izquierdo una gota de agua y sobre el derecho una gota de alcohol. Puede observar cómo el agua aclara el color puro y cómo el alcohol lo decolora.

Prueba de color III

En el lado izquierdo de la seda, aplique con el cuentagotas los tres colores básicos rojo, amarillo y azul, a distancias tales uno de otro que, al difundir, se encuentren a la mitad y se mezclen. El resultado es un color oscuro. Repita el mismo procedimiento en el lado derecho de la seda y deje secar el paño.

A continuación, añada con el cuentagotas una gota de agua en el lado derecho y una gota de alcohol en el lado izquierdo.

Podrá observar cómo el agua y el alcohol actúan de modo similar sobre la coloración, es decir, separan los colores integrantes de la mezcla. Anote también este proceso en la seda.

Con los resultados de estas primeras pruebas, empiece una carpeta en la cual irá ordenando y archivando todas sus pruebas y experimentos posteriores.

Lo que está por escrito no se olvida.

Breve estudio de los colores

La pintura sobre seda vive del color. El que trabaja con colores debería conocer los conceptos fundamentales

Los colores que no se pueden obtener por mezclas reciben el nombre de colores básicos o colores primarios. Son los colores rojo, azul y amarillo. Al mezclar estos colores primarios se obtienen el violeta, el verde y el naranja, a los que se llama colores secundarios. La mezcla de colores primarios con secundarios da origen a los colores terciarios que, junto con los primarios y secundarios, integran el anillo cromático de doce partes, la representación sistemática de los colores.

La mezcla de los tres colores primarios, rojo, azul y amarillo entre sí, da lugar a un tono marrón oscuro. Con excepción del negro y del blanco, todos los colores pueden obtenerse por mezcla de los tres colores básicos a distintas proporciones, si bien el turquesa y el rosa "pink" son casos especiales. El negro hay que prepararlo a partir de productos existentes en el mercado, tales como negro de hollín, negro de hueso o negro de hierro (negro de óxido de hierro).

La mezcla de diferentes proporciones de negro y blanco permite obtener las distintas tonalidades de gris. En la práctica, el gris se utiliza para atenuar los contrastes de color.

Los estudios acerca del comportamiento óptico de los colores han demostrado que el amarillo con el violeta; el rojo con el verde, y el azul con el naranja, se complementan para dar blanco. Estos colores se llaman por lo tanto colores complementarios, y ocupan posiciones enfrentadas entre sí en el círculo o anillo de los colores.

No obstante, con los colores habituales para pintura no es posible conseguir el color blanco por mezcla de otros colores; en su lugar se obtienen tonalidades de verde o marrón, "sucias" y apagadas.

Al contemplar el anillo de colores comprobará que en el lado derecho se encuentran los tonos de color típicamente cálidos, activos y claros; mientras que el

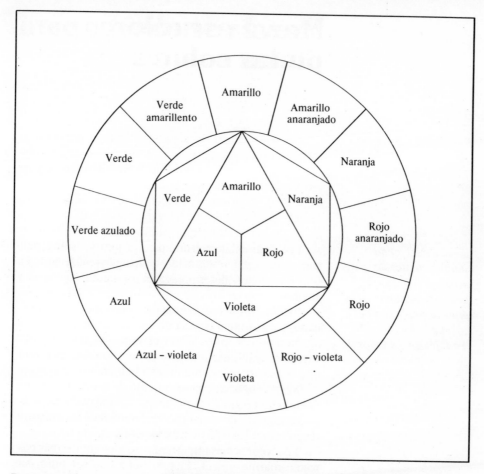

Representación
esquemática del círculo de
colores de Johannes Itten.

lado izquierdo contiene tonos de colores fríos, pasivos y
oscuros.

Cuando entre dos colores existe una diferencia pronunciada, se habla de que existe un contraste entre ellos. Son los contrastes los que originan la tensión interna, la vitalidad, de una composición de colores. A la hora de diseñar la distribución de las superficies de color, debe tenerse en cuenta que los colores claros dan sensación de ligereza, mientras que los oscuros la dan de pesadez. Con el fin de quebrar, enturbiar o saturar los colores puros, se pueden mezclar con blanco, negro, gris o con su color complementario correspondiente. De esta forma pueden conseguirse tanto los tonos pastel como los tonos mates.

Mezcla de colores para pintar sobre seda

Los colores apropiados para la pintura sobre seda son, entre otros, tintes ácidos preparados mezclando en una proporción determinada el pigmento con agua y alcohol.

Estos tintes se encuentran comercializados en el mercado, bajo diferentes marcas.

Ninguno de estos tintes es tóxico y todos pueden mezclarse y diluirse repetidamente. Bien cerrados, pueden conservarse durante mucho tiempo.

Si ya tiene algún conocimiento de como se comportan los colores, sabrá también que sólo se necesitan muy pocos tonos de color para poder disponer de toda la gama de colores a base de mezclarlos entre sí.

Los colores más importantes son los colores básicos: rojo, amarillo y azul. El rojo tiene que ser puro, sin tonalidad anaranjada ni violeta. El amarillo puro no debe tirar al verde ni al naranja, y el azul puro no debe contener ningún tono verde ni violeta. Para enturbiar los colores se necesita negro.

Mezcla de colores básicos

Si se ajusta a lo dicho en el capítulo "Breve estudio de los colores", no le debería ser difícil mezclar colores (ver figura 3, página 24). Con una parte de amarillo y una parte de azul obtendrá verde; con una parte de rojo y una parte de amarillo, naranja; con una de azul y una de rojo, violeta.

Ahora mezcle los nuevos tonos de colores en relación 1:1 con los colores básicos. Añada una parte de rojo y una parte de azul a sendas partes de violeta: obtendrá rojo-violeta y azul-violeta (azul real, azul de cobalto). Si a una parte de naranja le añade una parte de rojo, obtendrá rojo - naranja; si en vez de rojo le añade amarillo, obtendrá naranja claro. Una parte de verde con una parte de amarillo dan verde amarillento (verde limón); una parte de verde y otra de azul dan verde azulado.

Mezcla de colores complementarios

La manera más simple de obtener un tono gris es mezclando colores complementarios (ver figura 4 a la derecha, página 24). La mezcla de una parte de amarillo con dos de violeta, o de una parte de azul con dos de naranja, o de una parte de verde con dos de rojo da lugar a un agradable tono gris. Estos tonos de gris armonizan especialmente bien con los colores complementarios correspondientes, a partir de los cuales se han obtenido.

Mezcla de tonos pastel

Los colores pastel se consiguen diluyendo el tinte, sea de colores básicos o de mezclas, con una parte de agua y cuatro partes de alcohol (ver figura 4 a la izquierda, página 24 abajo).

Mezclas acreditadas

Una parte de azul + una parte de amarillo + una parte de negro
= *verde oscuro*
una parte de azul marino + una parte de rojo
= *violeta oscuro*
una parte de rojo + una parte de azul + una parte de amarillo
= *verde*
una parte de marrón + una parte de rojo
= *marrón rojizo*
una parte de rosa + una parte de marrón + una parte de amarillo
= *cobre*
una parte de verde + una parte de amarillo + una parte de negro + tres partes de azul puro
= *petróleo*

La técnica
de la pintura sobre
seda

Aplicación del color

Figura 3.
Mezcla de colores básicos.

Ahora ya sabe la enorme cantidad de posibilidades que le ofrece la mezcla de colores. El color negro le permitirá enturbiar y oscurecer cualquier otro tono de color. Vale decir que (casi) no hay límites en la experimentación con colores. Para aplicar los tintes a la seda se necesita el bastidor para tensar el tejido, un paño de seda (aprox. 30 x 30 cm), los colores y pincel.

Tense la seda en el bastidor.

Tome un pincel de tamaño medio y sumérjalo en el tinte.

Elimine el exceso de tinte escurriendo el pincel en el borde del frasco.

Explore ahora la pintura en seda trazando líneas, lunares, cuadros, puntos y otros motivos de su fantasía, y deje jugar los colores entre sí (ver figura 5a a la izquierda, página 26). Deje secar el paño así decorado. El fijado se hará más adelante.

Olas de color

Sobre un paño de seda limpio, correspondientemente tensado, aplique anchas bandas de color en forma de líneas onduladas (ver figura 5ª a la derecha, página 26). Mientras estas bandas todavía están húmedas, con un segundo pincel y con otro color trace sin vacilación otras bandas a diferentes distancias y en paralelo a las primeras. Durante este trabajo puede observar cómo se extienden los colores y cómo se funden en las zonas límite,

Figura 4.
Mezcla de colores
complementarios.

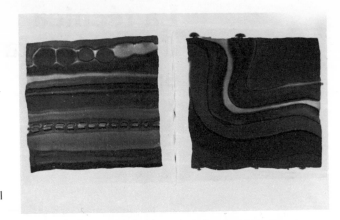

Figura 5a.
Ejercicio de aplicación del color.

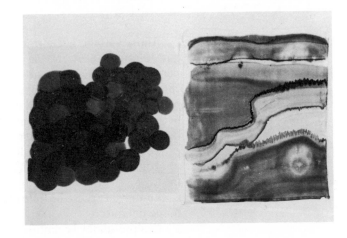

Figura 5b.
Círculos de colores y entrecruzamientos de colores.

donde se producen efectos especialmente interesantes que podrá utilizar intencionadamente.

Círculos de color

Con los colores de su elección, pinte pequeños círculos o lunares sobre la seda (ver figura 5b a la izquierda), a cierta distancia unos de otros. Observará cómo el color fluye de estos puntos hacia fuera y se funde con el de los círculos vecinos. Este fenómeno puede limitarse modificando las distancias entre círculos vecinos. Al igual que en el caso anterior, los colores sólo se fundirán moderadamente en las zonas límite.

Sobrecruzamiento de colores

Pinte la seda con diferentes colores (ver figura 5b a la derecha, página 26). Antes de aplicar un nuevo color, espere siempre hasta que los precedentes se hayan secado por completo. Una vez que todos los colores aplicados se hayan secado, coja un pincel, mójelo en agua y páselo a lo largo de las líneas en las que coinciden los colores; podrá descubrir como las minúsculas partículas de color se distribuyen nuevamente y de modo diferente en esta humedad, formándose ramificaciones peculiares de una banda de color hacia la otra. Si quiere reforzar este efecto fantástico, podrá repetir la aplicación de agua.

Efectos especiales

Tal como aprendió en el capítulo anterior, el agua sirve entre otras cosas para la difusión del color sobre la seda. Sin embargo, el agua también puede frenar la difusión, como muestran los ejemplos siguientes.

El efecto color-agua

Sobre la seda tensada pinte una serie de bandas, alternativamente con el pincel cargado con tinte y con el pincel sólo mojado en agua (ver figura 6 a la izquierda, página 28); observará que el agua limita inmediatamente la extensión del color. Repita tranquilamente este proceso varias veces, ya que éste es el único procedimiento de "hacerse" con la técnica y de estudiar los fenómenos y efectos que pueden lograrse con ella.

La cruz de agua

Para esta prueba, tome un pincel con agua (no olvide escurrirlo) (ver figura 6 a la derecha, página 28) y trace con él varias cruces sobre la seda. Seguidamente, con otro pincel aplique rápidamente el color en las cuatro esquinas de la cruz. Observará que el color se extiende uniformemente, con excepción de las zonas donde ha pintado las cruces de agua. Amplíe ahora este experimento aplicando más puntos de color entre los colores ya secos. El resultado son fusiones y motivos interesantes.

Círculos de agua

En este experimento, ponga un "punto" de agua sobre la seda (ver figura 7 a la izquierda, página 28) y describa alrededor de este punto un pequeño círculo con

A pesar de todos los trucos técnicos, el juego debe ocupar el primer plano en relación con las composiciones de color en seda

Figura 6.
El efecto color – agua (a la izquierda).
La cruz de agua (a la derecha).

Figura 7.
Círculos de agua (a la izquierda).
Flores de agua (a la derecha).

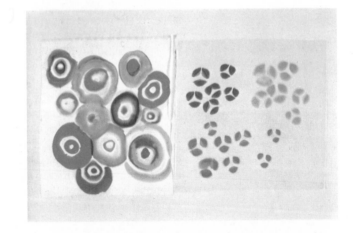

Figura 8.
El efecto de sal se puede combinar con diferentes técnicas de aplicación con el pincel.

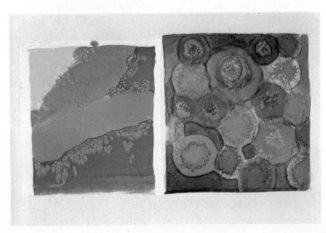

Para los experimentos de color y formas utilice una seda barata

un pincel de color. Alrededor de ese círculo de color describa otro con el pincel de agua, etc. De esta manera se forman una serie de círculos de color y de agua, alternativamente, que presentan netas líneas de separación.

Repita este experimento, pero empezando con un punto de color en el centro, en vez de un punto de agua.

Flores de agua

Imagínese un triángulo, tome el pincel cargado con tinte y aplique sobre el paño, uniformemente, tres manchas de color en cada uno de los vértices del triángulo (ver figura 7 a la derecha, página 28). Inmediatamente después, deje caer una gota de agua justo en el centro del triángulo. Verá como el agua se extiende y forma una delicada flor a partir de las tres manchas de color. Repita varias veces el experimento, hasta que tenga un sentido seguro acerca de la extensión y distribución del color en interacción con el agua.

Al igual que en la cocina, la sal nunca falla su efecto, también en la pintura sobre seda la sal consigue efectos más o menos intensos

El efecto de sal

El juego con la sal es quizá la técnica más excitante de la pintura en seda. Podrá comprobar con sorpresa los efectos que puede provocar en los colores mediante la acción de la sal.

Para los experimentos necesita:

un bastidor,
un paño de seda,
colores de su elección,
pincel (uno para cada color),
vaso con agua.

Sales de diverso tipo, tales como sal gruesa, sal de cocina, sal dietética o la sal para efectos que se puede obtener en el mercado.

Sobre la seda tensada aplique amarillo, rojo y azul (ver figura 8 a la izquierda, página 28). El tinte no se debe aplicar demasiado húmedo, porque en tal caso, el efecto de sal no se producirá en la forma deseada. A continuación, tome un par de granos de sal entre el pulgar y el índice y déjelos caer sobre la seda. Ya a los pocos instantes podrá observar el efecto de la sal. Cada uno de los granos atrae cada vez más fuertemente partículas de color hacia sí, originando motivos caprichosos y maravillosos. Este efecto es más marcado en torno a los granos de sal de mayor tamaño que con los más pequeños. Aprovéchese de esta posibilidad al utilizar la sal de grano grueso. Experimente el efecto sobre los colores con otros tipos de sal.

Una vez seca la seda, los granos de sal pueden quitarse raspando con un papel grueso o con el canto de una tarjeta.

Aplique sobre la seda grandes manchas de color rojo, azul, verde y marrón (ver figura 8 a la derecha, página 28), seguidamente, espolvoree sal en medio o en las zonas límites y observe la formación del efecto de la sal.

Para terminar el trabajo rellene los sitios vacíos con un tono de color marrón. Tenga en cuenta la extensión del color y mantenga la distancia necesaria.

Paisaje con luna

Pinte la media luna con color rojo (ver figura 9, página 32). A continuación, aplique en la parte inferior del cuadro una serie de bandas alternativas de colores marrón y verde oliva; por último, rellene la superficie restante con azul marino. Seguidamente, espolvoree cuidadosamente los granos de sal. Mientras la sal actúa sobre el color, podrá insinuar en los sitios libres las briznas de hierba con azul marino.

Un trocito de naturaleza

Un efecto totalmente diferente (ver figura 10, página 32) se puede conseguir con el empleo de la sal de la siguiente manera:

Prepárese primero una solución saturada de sal, para lo que se irá añadiendo cada vez más la sal a la disolución, hasta que el agua ya no pueda absorber más sal. Aplique esta solución uniformemente con un pincel ancho sobre la seda. Deje secar la seda.

Con un pincel fino del número 1 o del número 0 cargado con poco color puede ahora dibujar hierba, flores y hojas de la manera más fina sobre la seda así tratada con la solución salina. Como podrá observar, el color no difunde en absoluto: la solución salina incrustada en la seda actúa como un medio de reserva (ver página 35).

Con los ejemplos citados se han visto algunos de los poco habituales efectos que se pueden conseguir con la sal. Más adelante, usted mismo comprobará que este efecto es diferente en los diversos tipos de seda, y además que en sedas gruesas el efecto de sal lleva más tiempo que en caso de sedas finas.

Controle la intensidad del efecto variando la cantidad de sal

El efecto de sal puede intensificarse. Para ello, la sal se deshidrata aún más colocándola en una cuchara sobre la llama de una vela. Si esta sal seca se añade sobre el color todavía húmedo, la sal extrae el color todavía más rápidamente de la seda, de modo que se forman "callejas de color" aún más marcadas. Además, ya habrá notado que la cantidad de sal es decisiva para la intensidad del efecto.

Si ha empleado colores de mezcla, observará que se produce un fenómeno similar al que se producía con el tratamiento con agua, es decir, en el caso del color de verde obtenido por mezcla de azul y amarillo, la sal hará percibir en las zonas limítrofes ambos colores integrantes, amarillo y azul. Estos desdoblamientos del color pueden ser extraordinariamente interesantes y variados.

Si alguna vez ha aplicado demasiado color sobre la seda, verá claramente cómo si los granos de sal "se ahogan" en el color, de tal manera que no podrá conseguir efecto de sal. En tal caso, inténtelo otra vez, y tenga un poco más de cuidado al aplicar el color. Si aplica nuevamente color sobre una superficie ya tratada con sal, perderá el efecto conseguido anteriormente.

Si aplica demasiada sal, obtendrá manchas poco bonitas, así que tendrá que ensayar un poco esta técnica hasta poder aplicar la sal grano por grano donde quiera conseguir el efecto deseado.

Todavía quedan por descubrir muchos otros efectos en la pintura en seda

Al fijar posteriormente la pieza de seda tratada con sal, observará que el efecto de sal se acentúa aún más. El juego de la sal lo puede repetir con otras sustancias, tales como leche, azúcar y jarabe, abriendo así nuevas posibilidades para ampliar la realización artística según ideas propias.

Figura 9.
Paisaje con luna.

Figura 10.
Un trocito de naturaleza.

Modo de crear un fondo

Hasta ahora, en todos los experimentos hemos pintado sobre la seda hasta llenarla completamente de color. Aprenderemos ahora el modo de crear un fondo.

El fondo puede crearse antes de pintar los motivos, o posteriormente.

Si el fondo se crea anteriormente, se deben elegir siempre tonos claros, ya que en caso contrario existe el riesgo que los colores posteriormente aplicados parezcan "sucios" y cambien mucho. También hay que tener en cuenta que al pintar posteriormente sobre el fondo se producen nuevas mezclas de colores, fenómeno que aunque se puede aprovechar intencionadamente, hace aconsejable ensayar un poco con un bastidor de prueba antes de empezar su obra.

Figura 11.
Se aplica el fondo con intensidad decreciente (degradado de color) y entonces se realiza el primer plano.

Figura 11, izquierda.
Una vez tensada la seda en el bastidor, humedézcala uniformemente con el pincel cargado con agua. Seguidamente, cargue con color un pincel mayor (p. ej. del nº 12) y cubra con él la seda con movimientos rápidos de vaivén, empezando por el borde superior del paño. Com-

La gradación del fondo es decisiva para el efecto de profundidad.

probará que el color aparecerá cada vez más débilmente. Después de la aplicación del color, es importante pasar todavía el pincel sobre la seda de derecha a izquierda y de arriba hacia abajo, con el fin de lograr una degradación descendente uniforme del color.

Si aparecen bandas durante la aplicación, repita el proceso: Humedezca la seda otra vez con agua y proceda del modo descrito. Evidentemente, la repetición hace que inevitablemente el fondo sea globalmente más oscuro. Si ha quedado demasiado oscuro, lave la seda con un detergente para ropa delicada. Si el fondo ha quedado bien de tono, deje secar la seda.

Con la realización del primer plano, el fondo cobra profundidad

Figura 11, derecha, página 33.
Cuando el fondo esté acabado y seco, se puede seguir pintando la seda. Cargue siempre el pincel con muy poco color y tenga en cuenta la posterior difusión del color. Haga uso de la experiencia práctica adquirida en el capítulo "La técnica de la pintura en seda" (ver página 25): con flores de agua, círculos y líneas puede crear una pequeña obra de arte de la que estar orgulloso. Después de dejar secar, póngala aparte, todavía hay que fijarla.

Flor y arbusto

Figura 12, página 36.
Pinte un fondo sobre la seda tensada. Con el medio de reserva (esta técnica se describirá en el capítulo siguiente) pinte un motivo a mano alzada. A continuación coloree las superficies así delimitadas con el color que haya elegido y avive el cuadro adicionalmente con el efecto de sal. Después del secado hay que fijar.

Pañuelo de seda con dibujo de flores

Figura 13, página 36.
En este ejemplo podrá reconocer claramente el segundo método para crear el fondo. Pinte en primer lugar flores de gran tamaño y trace un límite con el medio de reserva (ver capítulo siguiente). (Son las líneas blancas.) Coloree los pétalos con varios colores; tras dejar secar, pinte el fondo con un tono de color oscuro. Este proceso sólo se puede llevar a cabo en este orden, ya que el color oscuro destruiría la luminosidad de los pétalos.

Como norma general, elija para los fondos tonos de color discretos y neutros con el fin de no destruir la impresión cromática general del cuadro.

Técnicas de reserva

Al igual que en la técnica del bátik, el medio de reserva desempeña un importante papel también en la pintura en seda. En el bátik se utiliza cera que se aplica muy caliente. Para la pintura en seda generalmente se emplean soluciones de cola o pegamentos de caucho, comercializados como "guta", "gutapercha" o "medio de contorno". La finalidad del medio de reserva es, como su nombre indica, reservar o proteger zonas del paño frente a los tintes, es decir, limitar la extensión del color o dejar zonas de seda en su forma original para medios de expresión gráficos como líneas o similares (ver dibujo abajo a la derecha).

El medio de reserva puede aplicarse con un pincel, una botellita de plástico provista de cánula o con un cucurucho de papel pergamán hecho por uno mismo como si fuera una manga de pastelero (ver dibujo abajo a la izquierda). Habitualmente se prefiere la botellita de plástico, cuya cánula se secciona a la altura correspondiente, en función del tamaño de orificio deseado. Actualmente existen boquillas metálicas que pueden ponerse en la botellita. La cantidad de salida puede regularse mediante la presión aplicada a las paredes del frasquito.

Aplicación del medio de reserva

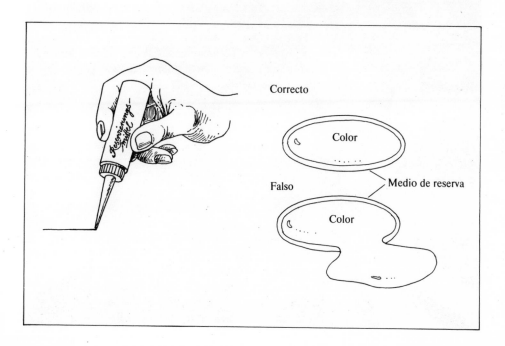

Correcto

Color

Falso

Medio de reserva

Color

Figura 12.
Se aplica el fondo con colores de seda y después del secado se reserva. Sólo entonces se colorea. La copa del árbol no tiene contorno y la parte baja tiene contornos blancos.

Figura 13.
Pañuelo de seda con dibujo de flores (fragmento).

Figura 14.
En la seda blanca se reserva
a mano alzada; los
contornos quedan blancos.

Figura 15.
Se tiñe la seda blanca de
naranja y después del
secado se reserva; a
continuación se colorea la
flor. Los contornos
aparecen en naranja.

En pintura, reservar
significa dejar libre una
zona o limitar la
extensión del color

Utilice sólo la cantidad de medio de reserva precisa para el trabajo del momento. Si trabaja con tejidos de seda gruesos, el medio de reserva debe diluirse con gasolina, con el fin de que pueda penetrar suficientemente en la fibra. También es posible teñir el medio de reserva con color de esmalte o con un colorante especial, lo que permite obtener contornos de color. (¡Las pinturas sobre seda con contornos de oro no se deben lavar en la tintorería!)

Para trabajar con medios de reserva, coloque el modelo del motivo por debajo de la seda tensada o, en el caso de sedas gruesas, calque el motivo con un carboncillo.

Seguidamente, vaya siguiendo los contornos del dibujo sobre la seda con la boquilla del frasco, ejerciendo una presión suave, de tal modo que se aplique una cantidad homogénea de medio de reserva. A continuación, controle por el lado del revés de la seda si todos los contornos están cerrados, de modo que no se produzcan escapes de color. Aplique el color, guardando una distancia de unos 5 mm respecto a las líneas de contorno, lo que permite que el color se extienda lenta y uniformemente hasta el límite constituido por el medio de reserva. Una vez coloreadas todas las zonas, dejar secar.

Si alguna vez se queda sin el medio de reserva habitual, puede echar mano del Tjanting o de la cera. También puede reservar con algún preparado sintético de caucho, pero debe diluirse con gasolina en proporción 1:1. Sin embargo, después del fijado debe llevar sus trabajos a la tintorería, ya que los preparados sintéticos de caucho no suelen ser solubles en agua.

La figura 18 (página 45) muestra unos contornos pintados sobre la seda con un medio de reserva teñido de bronce, antes de aplicar los tintes, de tal modo que los contornos aparecen de color bronce.

El fijado

Tras un tiempo de secado de unas 12 horas, hay que fijar su seda pintada. La seda consigue su resistencia al lavado y a la luz mediante fijación al vapor de agua hirviendo en la olla exprés. Coloque cuidadosamente su obra sobre un paño blanco de algodón (un mantel o una sábana viejos) que pueda hervir.

Las piezas de seda pintada deben colocarse en el paño de tal modo que no se toquen entre sí al enrollar el paño ni formen arrugas. Vaya alisando la seda a medida que va enrollando el paño de algodón que la contiene. ¡No olvide que las arrugas que se fijen, quedan fijadas para siempre!

El rollo cilíndrico así formado se coloca en forma de caracol en el cesto perforado de la olla a presión, de tal manera que deje en el centro un orificio para la circulación del vapor de agua (ver figura a pie de página). Añada de 1 - 2 tazas de agua a la olla exprés y coloque el cestillo sobre su trípode, previamente colocado en el fondo de la olla. Seguidamente, cubra la totalidad del material a fijar con un pliego de papel de aluminio, practicando en su

Los paños de seda ya pintados y secos se colocan sobre un paño de algodón y se enrollan sin apretarlos.

La seda, enrollada en el paño de algodón, se dispone en forma de caracol en el cestillo perforado de la olla a presión. No olvide taparlo con papel de aluminio antes de cerrar la olla.

centro un orificio que permita la circulación del vapor de agua.

Cierre la olla. Póngala sobre una placa o fuego del hornillo al máximo y espere hasta que empiece a salir vapor. Cierre la válvula (siguiendo las instrucciones del fabricante) y espere a que el indicador de la válvula alcance el máximo; en ese momento, reduzca el fuego de tal modo que el indicador permanezca al máximo durante otros 45 minutos. Las sedas gruesas y la lana necesitan un tiempo de fijado de 60 a 90 minutos. Transcurrido el tiempo correspondiente, abra la olla exprés (¡tras dejar salir el vapor, nunca de golpe!) y saque *inmediatamente* la seda o lana.

Gracias al fijado, su seda ha conseguido la luminosidad característica. Lave ahora cuidadosamente la pieza en agua tibia con detergente para ropa delicada. El agua arrastrará el exceso de color, así como las líneas finas de medio de reserva. Para eliminar el medio de reserva aplicado en gran cantidad, habrá que emplear gasolina o llevar la pieza a la tintorería. Después de aclarar abundantemente (al último aclarado se le añade un chorro de vinagre), se exprime la seda con una toalla de rizo y a continuación se plancha hasta sequedad con una plancha caliente.

El fijado debe garantizar la durabilidad de la pintura en seda

Otra posibilidad es la ofrecida por algunos talleres que se encargan del fijado contra pago. También se puede fijar en un establecimiento de plisado, empleando una presión de 0,1 bar durante un tiempo de 30 a 45 minutos, aproximadamente.

Proyectos

Pañuelos

Materiales:

Seda: Pongée No. 5 o 8, 90 x 90 de ancho,
Bastidor
Medio de reserva
Diversos pinceles
Colores de su elección
Mezcla de agua - alcohol al 1:1.

Un simple pañuelo con motivo cuadrangular

Figura 16, página 44.
Tense la seda sobre el bastidor en forma de parche de tambor. Con el medio de reserva, defina un cuadrado grande trazando sus lados a unos 5 cm de los bordes de la pieza. Seguidamente, trace líneas onduladas verticales y horizontales a distancias irregulares, también con el medio de reserva. Rellene las casillas resultantes con los colores de su elección, comenzando con los tonos de colores más claros. Los tonos pastel se consiguen mezclando el tinte con una mezcla de agua y alcohol 1:4.

La mezcla de tonos de color entre sí consigue interesantes composiciones de color. Una vez coloreadas todas las casillas, deje secarse el paño por lo menos durante 12 horas. Luego se fija (ver "El fijado", página 38). A continuación se lava el paño con un detergente para ropa delicada, se enjuaga y se exprime en una toalla de rizo. Con una plancha caliente se plancha hasta que quede seco.

Pañuelo de seda con
dibujo de flores

Figura 17, página 44.

Para este trabajo necesita el mismo material que en el apartado anterior.

Tense la seda. Pinte un único motivo de flores sobre un papel blanco con un rotulador negro grueso (4 mm). Coloque este dibujo por debajo del paño de seda tensado y podrá ver claramente los contornos a través de la seda. Ahora siga todos los contornos con el medio de reserva; desplace el modelo a otro punto del paño y repítalo nuevamente. Proceda del mismo modo tantas veces como precise hasta haber conseguido la distribución deseada. Seguidamente, coloree las flores. A continuación coloree el fondo con ayuda de un pincel grueso, comenzando por el fondo oscuro y, a continuación, el fondo claro con la mezcla pastel - agua - alcohol (1:4).

Tras dejar secar, se fija, lava y plancha hasta sequedad del modo habitual.

La figura 27 (página 63) muestra un paño de lana tensado en el bastidor y pintado con colores de seda. El tiempo del fijado en este caso es de 60 minutos. A continuación se lava con un detergente para ropa delicada, se exprime en una toalla y se plancha hasta sequedad. El resultado es un agradable pañuelo para las temporadas de otoño e invierno.

La corbata

Materiales

Seda: toile, twill o pongée n° 8 de 90 x 90 cm, Un bastidor para corbata de madera blanda, Colores a su elección.

Cuatro corbatas de
diferentes sedas y varios
motivos

Figura 18, página 45.

A partir de una corbata vieja convenientemente descosida, prepare un patrón que colocará encima de la seda, recortándola según él. Obtendrá dos (con un poquito de maña incluso tres) corbatas (ver dibujo en la página 43, izquierda). Tense la pieza para la corbata en el bastidor adecuado (figura de la página 43, derecha) y aplique el color con un pincel, siguiendo la hilada (es decir oblicuamente). Con ayuda de un segundo o tercer tono de color puede avivar la composición con rayas o similares. Para terminar, coloree la parte estrecha con el color inicial.

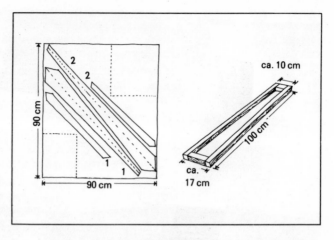

Esquema de corte para corbatas. Las líneas de puntos de abajo a la izquierda y de arriba a la derecha representan los cortes para pañuelitos. A la derecha se muestra un bastidor para corbatas. Aprox.

Después del secado, fijado, lavado y planchado se refuerza la corbata con una tela intermedia y se cose. La corbata descosida sirve también de modelo para coser las nuevas. Como tela de corbata también se puede utilizar lana.

El cojín de seda

Materiales:
Seda silvestre: dos piezas de 40 x 40 cm para cada cojín.
Bastidor.
Colores.
Alcohol.
Sal.

Cojín con funda de seda

Figura 19, página 45.
Tense la seda de la forma habitual. Distribuya una serie de bandas diagonales con pinceladas burdas: bandas estrechas, anchas, de tonos pastel y de tonos oscuros. Deje secar la seda. Tense en el bastidor el otro lado del cojín. Elija el color de una de las bandas del otro paño y aplíquelo uniformemente con un pincel ancho.

Puede espolvorear la seda silvestre con sal gorda una vez pintada. Espere pacientemente hasta que haya actuado la sal.

Otra posibilidad es humedecer la seda silvestre con agua abundante, tras lo que se pinta rápidamente y con abundante color, empleando un pincel mediano, con lo que se producen ramificaciones interesantes. De esta manera se puede fabricar también una tulipa.

◄ Figura 16.
Un sencillo pañuelo con
motivo de cuadros
(fragmento).

Figura 18.
Cuatro corbatas de diversos
tipos de seda y con
diferente dibujo.

◄ Figura 17.
Pañuelo de seda con
motivo de flores
(fragmento).

Figura 19.
¿No es más bonito un cojín
de seda así que uno
comprado?

Una tulipa

Materiales:
Seda Pongée n° 8 del tamaño de su tulipa.
Bastidor de madera.
Medio de reserva.
Mezcla de agua - alcohol al 1:1.
Colores, sal.
Diferentes pinceles.

Figura 20, página 48.
Dibuje un motivo de flor sobre un papel blanco. Repase todos los contornos netamente con un rotulador negro (4 mm). Tense la seda. Ponga el modelo anteriormente preparado por debajo de la seda tensada. En caso necesario ponga un libro grande debajo del dibujo, con el fin que la distancia entre seda y dibujo sólo sea de 1 cm. De esta manera puede ver mejor sus contornos.

Con el medio de reserva, pinte las líneas de los pétalos sobre la seda. A continuación desplace el modelo a otro lugar y píntelo de nuevo con el medio de reserva. Proceda del mismo modo el número de veces necesario para lograr la apetecida distribución del motivo. Compruebe por el reverso de la pieza de seda que todos los contornos trazados con el medio de reserva se encuentren correctamente cerrados para evitar que el color se corra. Corrija los huecos.

A continuación escoja sus propios colores, probándolos sobre un trocito de seda en el que le será más fácil corregir. Una vez seleccionados los colores, proceda a su aplicación paso a paso. Si se equivoca en una pincelada o le cae una gota de color sobre la seda, no pierda los ánimos; olvídese de momento de estos errores y termine su motivo. A continuación, contémplelo otra vez y considere de qué manera pueden incorporarse los errores en el conjunto del trabajo.

Una vez pintadas todas las superficies, puede acentuar posteriormente los contornos de hojas. Para ello, con un pincel empapado en alcohol vaya siguiendo las líneas interiores de las hojas. De esta manera se aviva todo el trabajo.

Para el borde necesita un pincel ancho y mucho color. En este ejemplo se han mezclado todos los colores existentes en el motivo en un vaso y se han diluido con agua - alcohol 1:1. Con el pincel ancho pinte una banda

La pantalla de lámpara debe infundir tranquilidad y recogimiento con su cálida luz. Por eso es preferible un motivo claro a uno oscuro

*La confección de una
pantalla de lámpara ya
exige un poco más de
destreza y sobrepasa las
exigencias que
habitualmente se ponen
al pintor de seda*

ondulante en ambos bordes. El exceso de color se puede eliminar cuidadosamente con un papel de cocina. Coja sal y espolvoree cuidadosamente estos bordes. Espere hasta que la seda se haya casi secado y retire entonces la sal de la seda con una tarjeta.

Seguidamente puede fabricar los estores a juego con su tulipa. Para ello proceda del modo descrito para la pantalla. Antes de su trabajo es conveniente preparar y mezclar mayores cantidades de color, ya que sólo así se consigue un resultado satisfactorio. A continuación fijar, lavar y secar.

Para otra variante hacen falta:
Seda: Pongée n° 8 del tamaño de su pantalla de lámpara.
Bastidor.
Colores, sal.
Un pincel grueso.

Tense la seda sobre un bastidor. Humedézcala abundantemente, de tal manera que se vean "charcos de agua" sobre ella. Con un pincel grueso y color abundante, atraviese ahora rápidamente estos charcos de agua. De esta forma, el color se extiende formando un dibujo caprichoso. Déjelo secar todo. Después del fijado, lavado y planchado, se cose la seda, se pone arriba y abajo una cinta elástica y se tensa a través de la armadura de la tulipa.

Un traje (falda y blusa)

Materiales:
Seda, p. ej. Pongée n° 8; dos piezas de 130 x 90 de ancho.
Bastidor.
Pincel grande, pincel de gomaespuma 10 cm de ancho.
Color: azul claro, azul marino.
Sal.

Figura 21, página 48.

Corte ambas piezas de 130 cm de largo por el centro, tal como muestra el dibujo de la página 49. Ahora tiene 4 piezas, cada una de 65 cm, dos piezas para la blusa y dos piezas para la falda (corta). Para una falda larga necesita dos piezas de 1,2 m de largo.

Figura 20.
La tulipa de seda crea un
ambiente suave y tranquilo.

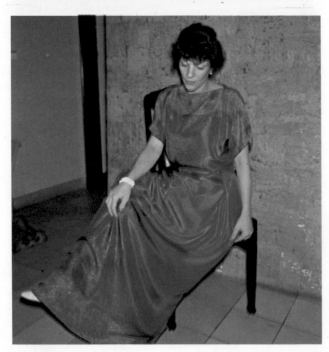

Figura 21.
Traje de seda pintada.

48

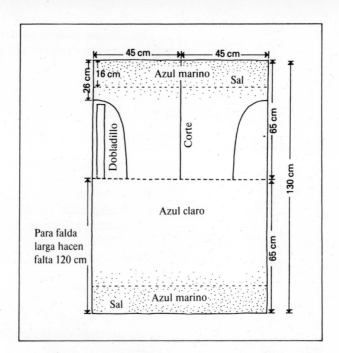

Corte para el traje –
pantalón y el caftán.

_¡Al coser su propio traje
de seda pintada por
usted misma está
creando un modelo
realmente exclusivo y
que sólo existe una vez!_

Prepare un vaso grande con azul marino y otro mediano con el color azul claro.

Tense la seda. Con un pincel grande aplique primero el color azul claro en forma de banda de aproximadamente 16 cm de anchura a partir del borde superior de la seda. A continuación, cargue la muñequilla de gomaespuma con color azul marino y páselo a una distancia de 5 mm a lo largo de la banda de azul claro. Verá como el color produce interesantes efectos colorísticos en las zonas límites. Aplique ahora el color azul marino uniformemente sobre el tejido restante, siendo importante que los movimientos de vaivén de la muñequilla de gomaespuma se hagan siempre en la misma dirección. Seguidamente, distribuya la sal cuidadosamente con el pulgar e índice sobre las bandas de azul claro. Mientras actúa la sal, continúe con los movimientos uniformes de pincel sobre la parte coloreada de azul oscuro. Sólo de esta manera podrá conseguir la mejor y más uniforme distribución del color. Coloree las otras tres piezas de seda del mismo modo. Quite la sal con un papel fuerte o con una tarjeta, un poquito antes de que la seda esté completamente seca, con el fin de evitar la formación de costras.

49

Después del secado, fijado, lavado y planchado se puede cortar el traje, uniendo las piezas que mejor encajen entre sí.

Dicho sea de paso, de la misma manera se puede confeccionar un traje de lana, si bien en tal caso la sal no tiene efecto.

Un traje - pantalón (caftán)

Materiales:

Tejido de punto de seda (jersey de seda) o similar, de 90 cm de ancho:

2 x 110 cm para la parte delantera y trasera

1 x 70 cm para las mangas

1 x 50 cm para el cuello, cinturón, etc.

2 x 120 cm para el pantalón.

Bastidor.

Color, sal.

Diversos pinceles.

Figura 22, página 52.

Para este trabajo debería tener una habitación grande a su disposición, ya que es conveniente poder tensar y pintar todas las piezas al mismo tiempo. Lo ideal sería trabajar al aire libre, a la sombra, en un día soleado. Sobre bastidores adecuados, tense las piezas de seda para la parte delantera, la espalda, las mangas y el cuello (ver dibujo página 52, izquierda). Prepare una selección de colores, mezcle los colores entre sí y obtendrá bonitos tonos intermedios. Aplique estos tonos de color sobre una seda de prueba y observe críticamente si los colores armonizan entre sí, si no son demasiado claros, oscuros, demasiado apagados o demasiado ricos en contraste.

Divida la superficie marcando en algunos sitios con el fin de poder colorear con más facilidad (ver dibujo página 52 a la derecha).

Empiece ahora pintando rayas sobre la seda, empleando alternativamente un pincel ancho y uno estrecho, y alternando el color. Tómese tiempo; puede interrumpir el trabajo. Si no queda satisfecha, retoque las rayas con un nuevo color. Resultan muy interesantes solapamientos de color. Intente avivar la pintura añadiendo sal a las rayas.

¡No pierda los ánimos si ha cometido algún error al pintar! En la mayoría de los casos se puede corregir el error

Si ha cometido algún error no pierda la calma (a pesar del alto precio de la seda). Compre algún decolorante en la droguería y deje la seda con el decolorante en agua hirviendo. Lave y seque la seda y empiece de nuevo. ¡Esta vez seguro que lo conseguirá!

En este ejemplo, las dos piezas de 120 cm de longitud para el pantalón se han pintado sólo con un color. La solución más sencilla y barata es mezclar los restos de los colores empleados en el caftán. Si el color resultante es demasiado oscuro, aclárelo con alcohol - agua.

Tense la seda y coloree las piezas con la muñequilla de gomaespuma. La regularidad de los movimientos de vaivén es de gran importancia, ya que sólo de esta manera se consigue una buena distribución del color sobre la seda. Cuando todas las piezas se han secado aproximadamente durante 12 horas, se fija cada pieza por separado. Esto le ocupará mucho tiempo, pero comprobará que vale la pena.

Compre un patrón sencillo y cosa usted misma el traje - pantalón o lleve la tela a una costurera. Su modelo está acabado.

Cuadros

Materiales:
Seda: Pongée nº 8, 50 x 60 cm.
Bastidor.
Medio de contorno.
Color.
Alcohol.
Diferentes pinceles.

Familia de lechuzas

Figura 23, página 53.

Dibuje el motivo sobre un papel blanco y marque los contornos con un rotulador negro (4 mm) sobre el papel blanco. Tense la seda y coloque el dibujo por debajo de la seda. Cuando se sienta seguro, copie con el medio de contorno todas las líneas que se transparentan. El carboncillo es otra posibilidad de calcar. Copie con el carboncillo los contornos y siga entonces trabajando del modo habitual con el medio de reserva. Compruebe por el reverso de la seda que no haya olvidado ninguna línea. Una línea pasada por alto puede estropear todo su cuadro.

Aplique ahora el color para las ramas, hojas, el plumaje, la luna y los frutos. Trabaje con muchos colores de mezcla. Avive las hojas aplicando el pincel con alcohol. A continuación, pinte el fondo oscuro. Si quedara raya-

51

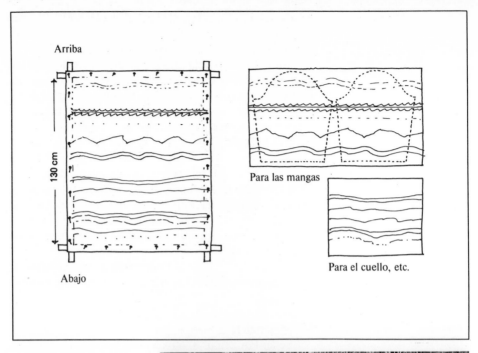

Arriba

130 cm

Para las mangas

Para el cuello, etc.

Abajo

Esquema de corte para la parte delantera, espalda, mangas, cuello, etc.

Figura 22.
¡Este traje se puede llevar en cualquier sitio ya que está hecho por uno mismo!

52

Figura 23.
Familia de lechuzas.

do, píntelo una segunda o tercera vez, hasta que el fondo quede sin manchas.

Después del secado, se fija, lava y se plancha a sequedad.

Paisaje en la Toscana

Figura 24, página 56 abajo.
Materiales:
Seda: Pongée n° 8, 60 x 70 cm.
Medio de contorno.
Bastidor.
Diversos pinceles.
Color.
Mezcla de agua - alcohol 1:4 y 1:1 y alcohol.
Sal.

Dibuje el motivo sobre un papel blanco y refuerce todos los contornos sobre este papel con el rotulador

Un motivo como éste es la ocasión para hacer alarde de todas las técnicas aprendidas hasta ahora

negro (4 mm). Tense la seda sobre el bastidor. Coloque el dibujo por debajo de la seda y calque las líneas con el medio de contorno.

Empiece por el cielo. Prepare el color para el cielo con algunas gotas de azul claro y de azul marino y la mezcla de alcohol - agua 1:4. Humedezca el cielo con agua (lo que facilita el trabajo para el principiante). Aplique los colores con pinceladas grandes, en sentido descendente. Tome un poquito de amarillo pastel para el resto del cielo. Puede pintar por encima del árbol de la derecha, lo que es más fácil, ya que más tarde va a tener un color mucho más oscuro que cubrirá el amarillo pastel. En el capítulo "Mezcla de colores para pintar en seda" encontrará algunas ideas para los colores de este cuadro. Haga usted mismo algunos experimentos mezclando colores, se quedará sorprendido. Coloree este cuadro con todos los colores de tierra posibles. No se olvide de emplear de vez en cuando convenientemente la sal. Haga experimentos con el alcohol, con el fin de lograr siempre nuevos efectos. Deje secar el cuadro y luego retóquelo con color y alcohol. Surgen siempre nuevas estructuras y composiciones de color.

Un mantelito de café

Materiales:
Seda: Pongée n° 8.
Bastidor.
Medio de contorno.
Color.
Mezcla de agua - alcohol 1:1.

Los motivos florales no son los únicos posibles para un mantel. ¡Cree su propio dibujo!

Figura 25, página 57.

Dibuje el motivo en una hoja de papel blanco, y refuerce todos los contornos con un rotulador negro (4 mm). Tense la seda. Coloque el dibujo debajo de la seda tensada y a través de ella podrá reconocer todos los contornos. Con el medio de contorno dibuje todas las líneas. Controle por el reverso que todas las líneas estén cerradas. A una distancia de aproximadamente 5 - 7 cm trace un cuadrado grande con el medio de contorno, ya que todavía hay que colorear en oscuro el borde externo.

Mezcle sus colores. En este caso se eligieron rojo, azul claro, azul marino y verde oscuro en diversas variaciones. Primero coloree los estambres, a continuación los pétalos y finalmente los tallos y hojas. Luego retoque una parte de los pétalos con un color más claro o más oscuro. La mezcla de colores para el borde se compone de los restos de colores usados. Aplique el color en el borde con un pincel ancho. Después del secado se fija, se lava, se enjuaga y se plancha a sequedad.

Este dibujo, por otra parte, es también muy apropiado para un elegante pañuelo de seda.

El tapiz mural

Materiales:
Seda silvestre gruesa: 150 x 110 cm de ancho.
Bastidor.
Medio de contorno.
Pigmento bronce para el medio de contorno.
Color, sal.
Mezcla de agua - alcohol 1:4 y 1:1.

También este motivo no es más que un ejemplo de las ilimitadas posibilidades de realización. ¡Cree y realice usted sus propios motivos!

Figura 26, página 57.

Pinte el motivo sobre un gran papel blanco. Vaya con un carboncillo en el lado del revés del papel otra vez a lo largo de todos los contornos. Ahora coloque el papel sobre el lado derecho de la seda y frote el carbón encima de la seda con un cepillo de ropa o similar. Este es el procedimiento más sencillo de calcar. Tense la seda sobre el bastidor. Llene la botellita con el medio de contorno hasta un tercio y añada a continuación la misma cantidad de pigmento bronce (o color para esmalte) al medio de contorno. Trace ahora otra vez todos los contornos en la seda, lo que en este caso de seda tan gruesa se debería hacer con especial cuidado, ya que absorbe la solución muy lentamente. Para estar completamente seguro de la integridad de los contornos, repáselos nuevamente por el reverso con un medio de reserva incoloro.

Mezcle los colores y pruébelos en un trozo de seda de muestra. Empiece con los colores más claros. Si está inseguro, consulte otra vez el capítulo "Mezcla de colores para pintar en seda". Una vez coloreadas todas las superficies, mezcle otra vez todos los colores usados en un vaso y añada además un rojo y un azul marino, obteniendo de esta manera un fuerte color de fondo. Aplique el color uniformemente. En caso de errores de color, vuelva a pintar el fondo otra vez. Una vez terminada su obra, fíjela, lávela, enjuáguela y séquela.

Remate los lados con un pespunte largo. Los bordes superior e inferior se doblan para colocar sendos listones de madera. Fije un hilo de nylon en el listón y busque un sitio donde el tapiz esté bien visible para el placer de todos.

Si se trata de tapices murales valiosos, pueden protegerse del polvo enmarcándolos con cristal.

Figura 24.
Paisaje en la Toscana.

Figura 25.
Mantelito de café con
dibujo de flores
(fragmento).

Figura 26.
Tapiz mural.

40 consejos para
el pintor sobre seda

- La seda que se quiere trabajar tiene que estar tensada en el bastidor como un parche de tambor. Solamente de esta manera se evitan los charcos de agua.

- Para todos los trabajos es práctico tener un bastidor de prueba con una pieza de seda tensada en la que probar primero el efecto y mezcla de colores.

- Para las pruebas de color pueden emplearse la seda, el nylon y la lana.

- Coleccione frasquitos pequeños que se puedan cerrar herméticamente para sus mezclas de colores.

- Los vasitos para colores que no tengan cierre deben cubrirse con papel de aluminio, para que el color no se seque tan rápidamente.

- Empiece siempre sus trabajos por los tonos más claros, de este modo podrá corregir posteriormente las salpicaduras de color o los errores con un color más oscuro.

- Las grandes superficies se colorean uniformemente si humedece la seda antes con agua. A continuación se aplica el color uniformemente y se distribuye con una esponja o un pincel de gomaespuma.

- Compre paños de seda blanca o pastel ya enrollados. De este modo se ahorra el "enrollamiento" de los paños.

- Puede usar tejido de poliéster para las pruebas. Después del fijado pierde el 70   % de color.

- Las manchas de agua y de aceite destrozan su labor, así que ¡cuidado!

- El alcohol favorece la penetración del color en el caso de tejidos de seda gruesos.

- El agua sirve entre otras cosas para diluir el color y, además, limita la extensión del color, si se aplica al lado de un color.

- Los medios de contorno o reserva, como p. ej., la guta o un preparado sintético de caucho pueden emplearse también si se quiere resaltar trazos dentro de un campo de color.

- Debería dejar secar su trabajo durante doce horas antes de empezar con el fijado.

- Después del fijado se puede volver a colorear o corregir; a continuación tiene que volver a fijar.

- Los bastidores con los trabajos todavía húmedos no se deben colocar nunca de pie para dejar secar.

- Los bastidores grandes que se trabajan en caballetes es mejor iluminarlos desde abajo.

- Rotule sus mezclas de color o agua - alcohol inmediatamente.

- Marque dos pinceles gruesos y dos finos para los tonos de color más claros y repártalos para colores fríos y cálidos.

- Los restos de color de los pinceles se limpian con alcohol.

- El paño de algodón que emplea para fijar sus composiciones en seda debe lavarlo de vez en cuando con la colada blanca, con el fin de eliminar los restos de color.

- La auténtica seda se reconoce al quemarla por su típico olor a cuerno.

- Con un cuentagotas (pipeta) puede obtener mezclas de colores controlables.

- Si mezcla color para esmalte con el medio de contorno, puede colorear los contornos en la seda.

- La botellita del medio de contorno se limpia con gasolina.

- La seda impregnada se sumerge durante aproximadamente 10 minutos en agua muy caliente, a la que se ha añadido un poco de detergente.

- Corte la seda tirando antes siempre de un hilo (¡corte a hilada!).

- Si trabaja con lana, evite la aplicación de una capa de fondo, ya que habitualmente sale con manchas.

- La seda soporta muy bien el calor.

- Las piezas grandes se aclaran después del fijado, primero con agua clara y a continuación se lavan.

- La seda se debe tensar exactamente en ángulo recto.

- El agua permite un tiempo de trabajo en la seda más largo.

- Los colores pastel deben agitarse siempre antes de usarlos a causa de la mezcla agua - alcohol 1:4.

- Con un secado artificialmente acelerado (secador de pelo) pueden lograrse interesantes efectos.

- Al pintar la seda, proceda siempre desde las zonas centrales, hacia afuera.

- Para descargar el pincel es práctico usar un pañuelo de papel, que debe tener siempre en la mano mientras trabaja.

- ¡Las sedas (seda silvestre) pueden encoger hasta un 10 %!

- Puede pintar las líneas finas con un rotulador vacío, que ha rellenado con pintura para seda.

- Para mezclar los colores añada siempre primero el tono claro al frasco.

- Empiece un cuaderno donde anote todas las mezclas de colores, y en caso necesario añada muestras de color.

Fuentes de errores

No se ha producido el efecto de la sal:
Probablemente el color estaba todavía demasiado húmedo; inténtelo de nuevo en otro sitio.

El fondo quedó demasiado oscuro:
Lave la seda con un detergente para ropa delicada. Empiece de nuevo.

Líneas al aplicar el color:
No corrija, normalmente durante el secado la distribución se hace uniforme.

No le salió bien su composición:
Compre decolorante en la droguería y observe las instrucciones. Empiece de nuevo.

El trabajo tiene en los bordes extrañas manchas de colores:
En este trabajo recorte los bordes con las manchas de colores. Antes de empezar cubra su bastidor de madera siempre con banda adhesiva rizada (para pintores).

El color sobrepasó los límites por una aplicación incorrecta del medio de contorno:
En la mayoría de los casos puede reparar el daño, recogiéndolo cuidadosamente con un bastoncillo de algodón empapado en alcohol.

El medio de contorno es demasiado denso:
Dilúyalo con gasolina.

Las líneas no son rectas:
Coja una regla de madera con el borde biselado y vaya
con el medio de contorno a lo largo de este borde.

**Al empezar el trazo con el medio de contorno siempre se
produce primero un punto:**
Coloque por delante del punto de partida un pequeño
trozo de papel y empiece el trazo allí.

Las líneas de contorno son demasiado anchas:
El medio es demasiado fluido para este tipo de seda o la
apertura de la cánula es demasiado grande.

Los contornos no penetran al tejido:
Diluya el medio cuidadosamente con gasolina.

La seda se abomba al pintarla:
Ténsela otra vez.

El dibujo debajo de la seda se corre de sitio:
Péguelo con cinta adhesiva transparente desde abajo.

Aparecen manchas claras peculiares después del fijado:
Desgraciadamente no ha tratado correctamente el medio para fijar según las instrucciones. Recubra las manchas y fije de nuevo.

El color se ha secado en el vaso:
Si diluye el color con la mezcla agua - alcohol, 1:1 puede
volver a utilizarlo.

Otras aplicaciones

Con las descripciones de trabajo dadas hasta ahora, podrá hacerse una idea de la versatilidad de la pintura en seda. Seguro que ya le han ocurrido ideas propias y ahora podrá intentar emplear las técnicas aprendidas en casos concretos y seguir desarrollándolas, ya que las posibilidades de la pintura en seda son inagotables.

Figura 27.
Falda de lana y pañuelo de lana, pintadas con colores de seda.

Figura 28.
Salida de sol.

Figura 29.
Paisaje boscoso.

Figura 30.
En el estanque.